D1504174

100

infos à connaître

LES CHIENS

100 infos à connaître

LES CHIENS

Camilla de la Bedoyere
Consultant : Steve Parker

Piccolia

© 2004 Miles Kelly Publishing
Tous droits réservés
© 2006 Éditions Piccolia
4, avenue de la Baltique
91946 Villebon – France
Dépôt légal : 3e trimestre 2006
Loi n°49-956 du 16 juillet 1949
sur les publications destinées à la jeunesse.
Imprimé en Chine

Remerciements :
aux artistes qui ont contribués
à l'élaboration de ce titre

Mark Davis/Mackerel - Peter Dennis/Linda Rogers Associates -
John Dillow/Beehive Illustration - Mike Foster/Maltings Partnership -
Richard Hook/Linden Artists - MagicGroup - JAndrea Morandi -
Julia Pewsey/Linden Artists - Steve Roberts -
Eric Rowe/Linden Artists - Mike Saunders-
Mike White/Temple Rogers

Couverture : Mitsuaki Iwago/Minden Pictures/FLPA
Pages 6, 26, 27, 28 Jane Burton/Warren Photographic
Page 32 Mark Raycroft/Minden Pictures/FLPA
Page 37 Wolfgang Kaehler/CORBIS
Page 40 Kevin R. Morris/CORBIS
Page 42 Stephanie Sinclair/CORBIS
Page 43 TopFoto.co.uk
Page 46 Aardvark Animation/pictorialpress.com

Sommaire

Nos meilleurs amis

1 Les chiens sont des animaux particuliers, qui ont toujours occupé une place privilégiée dans nos cœurs et dans nos maisons. Ils sont les fidèles compagnons des hommes depuis des siècles et encore de nos jours, où ils continuent à travailler et à jouer avec nous : c'est pour cela qu'on les appelle souvent « les meilleurs amis de l'homme ».
Les chiens sont des créatures intelligentes, au corps athlétique et solide. Ils sont alertes et joueurs et se déplacent rapidement et avec agilité.

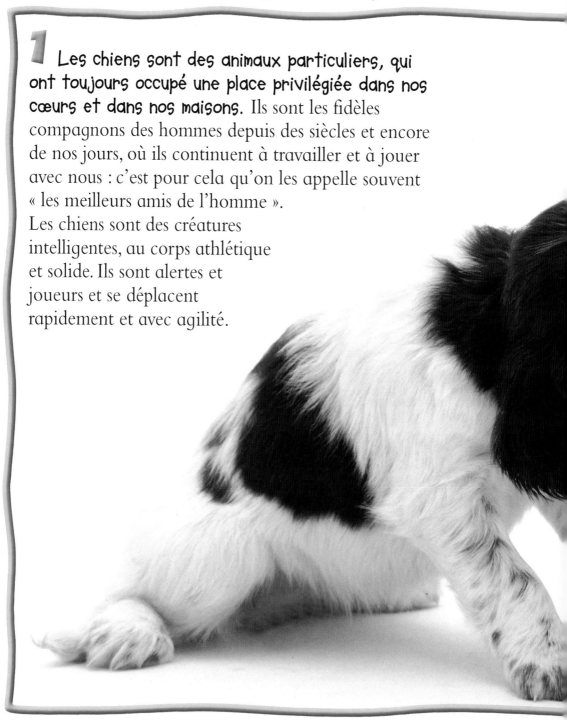

Les chiens sont des mammifères. Ce sont des animaux à sang chaud, recouverts de fourrure ou de poils, qui nourrissent leurs petits avec leur lait.

◀ De l'effrayant chien–loup à ton animal favori, tous les membres de la famille des chiens sont des créatures fascinantes. Ils ont beaucoup d'énergie, comme ces chiots, et sont très intelligents.

La famille des canidés

2 **Les chiens sauvages et les chiens domestiques appartiennent tous à la famille des canidés.** Il en existe 36 espèces différentes, dont font partie les loups, les renards, les coyotes, les chacals, et les chiens domestiques. Les chacals sont des animaux intelligents qui ont de longs corps minces, des pattes sveltes et une queue touffue.

▲ En croisant deux races différentes de chiens domestiques, il est possible de donner naissance à une toute nouvelle race.

3 **Les chiens domestiques sont apprivoisés et vivent avec les hommes.** Comme ils font tous partie de la même espèce animale, ils peuvent se reproduire entre eux. Les différents types de chiens domestiques sont regroupés en races : il existe environ 300 races reconnues et, régulièrement, de nouvelles races sont créées.

◄ Les chacals vivent en Afrique, en Asie et dans le sud de l'Europe. Ils s'aventurent parfois dans les villes en quête de nourriture.

4 On trouve des chiens sauvages partout à travers le monde. Beaucoup d'espèces sauvages sont menacées d'extinction parce que les hommes les chassent ou s'installent dans les régions qu'elles peuplent. Les chiens domestiques vivent partout où vivent les hommes.

INCROYABLE !

L'un des plus petits chiens était un yorkshire-terrier : à l'âge adulte, il pouvait tenir dans la paume d'une main !

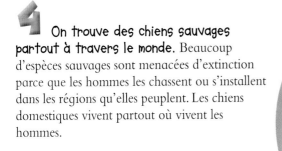

Loup gris

Fennec

◀ Le tout petit fennec et l'énorme loup gris sont très différents de par leur taille, mais ils appartiennent tous deux à la famille des canidés et ont beaucoup de points communs.

5 Le plus petit des chiens sauvages est le fennec, qui appartient à la famille des renards. Le fennec est grand comme un chat domestique et vit dans les terres désertes de l'Afrique du Nord, où il chasse les lézards et les insectes. Ses oreilles sont très grandes par rapport à sa taille, ce qui lui permet de percevoir des sons très faibles sur de très longues distances.

6 Le plus grand des chiens sauvages est le loup gris. Cette magnifique créature peut mesurer plus de 1,5 mètre de long, de la tête à la croupe, et peser plus de 60 kilos. Certains chiens domestiques sont plus impressionnants : le grand danois atteint facilement 2 mètres de long.

La vie sauvage

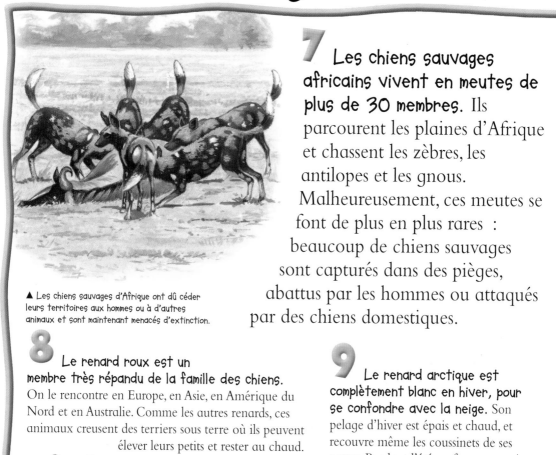

7 **Les chiens sauvages africains vivent en meutes de plus de 30 membres.** Ils parcourent les plaines d'Afrique et chassent les zèbres, les antilopes et les gnous. Malheureusement, ces meutes se font de plus en plus rares : beaucoup de chiens sauvages sont capturés dans des pièges, abattus par les hommes ou attaqués par des chiens domestiques.

▲ Les chiens sauvages d'Afrique ont dû céder leurs territoires aux hommes ou à d'autres animaux et sont maintenant menacés d'extinction.

8 **Le renard roux est un membre très répandu de la famille des chiens.** On le rencontre en Europe, en Asie, en Amérique du Nord et en Australie. Comme les autres renards, ces animaux creusent des terriers sous terre où ils peuvent élever leurs petits et rester au chaud.

9 **Le renard arctique est complètement blanc en hiver, pour se confondre avec la neige.** Son pelage d'hiver est épais et chaud, et recouvre même les coussinets de ses pattes. Pendant l'été, sa fourrure moins épaisse est marron ou grise.

▲ Les renards roux s'adaptent facilement. Ils peuvent vivre presque partout et manger de tout.

10 La plupart des renards se nourrissent de tout ce qu'ils trouvent !

Les renards qui vivent à la campagne mangent généralement des lapins ou de jeunes lièvres. Ils se tapissent dans l'herbe haute ou dans les buissons et s'approchent silencieusement de leur proie, avant de bondir soudainement pour les attraper. Les renards se nourrissent aussi de coccinelles, de fruits, de souris, de vers de terre, de grenouilles, et des restes de nourriture laissés par les hommes.

▲ Les coyotes vivent seuls, en couples ou en meutes. Les mâles se battent entre eux pour protéger leur territoire ou leurs zones de chasse.

11 Les coyotes sont de très rapides coureurs qui peuvent atteindre 65 kilomètres par heure lorsqu'ils pourchassent une proie.

Ces chiens sauvages qui ressemblent à des chiens domestiques vivent en Amérique du Nord et en Amérique centrale. On peut les entendre hurler le soir à travers les montagnes et les plaines. Les coyotes vivent près des hommes et ont la réputation d'attaquer les animaux domestiques et même parfois les enfants.

12 Le chien sauvage d'Australie porte le nom de dingo.

On pense que les dingos étaient des animaux domestiques il y a très longtemps, et sont retournés ensuite à la vie sauvage. Ils sont considérés comme nuisibles par les fermiers qui installent des pièges autour de leurs propriétés pour protéger leurs troupeaux de moutons.

Les loups

13 Le loup gris est l'espèce sauvage la plus répandue de la famille des chiens. Pourtant, on n'en trouve plus beaucoup à l'état sauvage car ils ont été décimés par les humains. Les loups ont été de tous temps chassés par l'homme qui les craignait, même s'il est très rare qu'un loup attaque un humain.

▼ Les loups s'accouplent à la fin de l'hiver et donnent naissance à des portées de 2 à 10 petits neuf semaines plus tard. Toutes les femelles de la meute participent à la surveillance des louveteaux.

Les hurlements des loups peuvent être entendus à plus de 10 kilomètres à la ronde.

14 Les loups gris vivent en groupes. Chaque groupe, appelé meute, comprend de 8 à 12 loups, mais certains en comptent 20. Chaque meute a un meneur, le loup alpha. Il choisit sa compagne pour la vie et ils sont le seul couple de la meute à avoir des petits.

15 Les loups gris se mettent à plusieurs pour attraper leurs proies. En chassant en groupe, ils peuvent attaquer et tuer des proies plus grosses qu'eux, comme les élans et les caribous. Ils se nourrissent également de petits animaux tels que les castors, les lièvres et les lapins. Les loups repèrent leurs proies grâce à leur odorat et à leur ouïe très développés.

16 Il ne reste plus qu'une centaine de loups rouges vivant en liberté aujourd'hui. Les loups rouges sont plus petits que leurs cousins gris, et on ne les trouve qu'en Caroline du Nord, aux États-Unis. Ils se nourrissent principalement de souris, de rats et de lapins, mais également de baies et d'insectes.

RACONTE-MOI UNE HISTOIRE

Tu connais certainement des histoires ou des contes de fées qui parlent de méchants loups. Pour changer un peu, peux-tu inventer une histoire dans laquelle le loup est le héros ? Décris son apparence, son caractère, et dessine-le.

Des animaux apprivoisés

17 **Les chiens ont probablement été apprivoisés par l'homme, il y a près de 12 000 ans, pendant la dernière ère glaciaire.** Ces premiers chiens « domestiques », certainement issus de loups et de chiens sauvages, étaient utilisés pour chasser, ou pour effrayer des animaux sauvages dangereux comme les ours. Les chiens protégeaient aussi leurs maîtres pendant les longs voyages.

18 **Les Égyptiens de l'Antiquité momifiaient leurs chiens pour qu'ils les accompagnent dans leur vie après la mort.** Les chiens étaient très appréciés comme animaux de compagnie, mais ils servaient aussi de chiens de garde ou de chasse. On leur donnait alors des noms et ils portaient des colliers en cuir.

▲ L'explorateur espagnol Vasco Nuñez de Balboa était toujours accompagné de son chien et lui versait même un salaire.

◄ Les Égyptiens de l'Antiquité momifiaient beaucoup d'animaux : des chiens, des chats mais aussi des serpents et des lions.

19 **Certains chiens, considérés comme des dieux, ont fait l'objet de cultes.** Des statues de chiens-lions sont souvent placées à l'extérieur des temples en Extrême-Orient, pour monter la garde et éloigner les mauvais esprits.

► Cette statue représente le chien chinois de Foo, posant sa patte sur une sphère qui pourrait être la Terre.

20 Il y a près de 300 ans, le souverain japonais Tokugawa Tsunayoshi édicta une loi pour protéger les chiens. Il aimait tellement ces animaux qu'il décida que les personnes qui les maltraiteraient ou ne s'en occuperaient pas seraient condamnées à mort. Ainsi, plus de 300 personnes furent exécutées en un seul mois.

INCROYABLE !

Il y a 900 ans, le roi de Norvège confia son trône à un chien, qui régna trois ans et signa de nombreux papiers importants d'une empreinte de sa patte !

21 Les Romains élevaient d'énormes chiens féroces, appelés molosses, pour la guerre. Ces « chiens de guerre » ressemblaient aux rottweilers actuels. D'après la légende, Alexandre le Grand (un héros antique) possédait un molosse qui tua un éléphant et un lion. Les Romains organisaient également des combats entre chiens et esclaves.

22 Les chiens protégeaient les voyageurs. Comme les bandits de grand chemin avaient l'habitude d'arrêter les attelages pour dépouiller les occupants, des chiens spécialement dressés couraient aux côtés des chevaux pour attaquer ou effrayer les voleurs.

◀ Des dalmatiens étaient souvent utilisés pour accompagner les voyageurs, car ce sont d'excellents chiens de garde.

La morphologie du chien

23 **Le premier animal qui ressemblait à un chien vivait il y a près de 30 millions d'années.** Les premiers loups apparurent il y a 300 000 ans ; ce sont les ancêtres des chiens d'aujourd'hui. Ce phénomène de changements subis par une espèce au cours du temps s'appelle évolution.

▼ Comme tous les mammifères, le chien a un squelette constitué d'os souples et légers, auxquels se rattachent les muscles par des tendons et des ligaments.

Vertèbres

Pelvis

Tarse

Métatarse

▼ Le cerveau, le squelette et les muscles participent ensemble au mouvement. La longue queue du chien lui permet de garder son équilibre pendant qu'il court.

24 **Tous les membres de la famille des chiens ont des points communs.** La plupart des canidés ont des corps longs et musclés et des pattes fines et solides. Les chiens sont des coureurs endurants, ils peuvent parcourir de longues distances à vive allure sans se fatiguer.

25

Les pattes arrière du chien sont munies chacune de quatre griffes, alors que ses pattes avant en comportent cinq. Les chiens domestiques ont parfois une griffe supplémentaire sur les pattes arrière, appelée « ergot », dont ils ne se servent pas.

▶ Contrairement à celles du chat, les griffes du chien ne sont pas rétractiles.

Crâne

Omoplate

Côtes

Carpe

Métacarpe

26

Les chiens doivent haleter pour réguler leur température. Pendant les périodes chaudes, on voit souvent des chiens allongés à l'ombre, qui laissent leur langue dépasser de leur gueule. La salive s'évapore de la langue, celle-ci se rafraîchit, ce qui permet au chien de faire baisser sa température, car contrairement à nous le chien ne transpire pas.

27

Le corps d'un chien est soutenu par le squelette, composé de nombreux os. Le cerveau est protégé par le crâne, une solide enveloppe d'os, de forme allongée, qui entoure également les narines et la gueule.

Griffer et renifler

28 **Les chiens ont un odorat beaucoup plus développé que les humains.** Particulièrement sensibles à certaines odeurs, comme la transpiration, les chiens la repèrent un million de fois mieux que l'homme. Ils peuvent reconnaître quelqu'un uniquement à cette odeur.

▼ Les chiens comme ce basset ont près de 220 millions de cellules sensorielles dans leur nez, alors que l'homme n'en possède que 20 millions.

▼ Les pointers sont des chiens de chasse très populaires. Lorsqu'ils ont repéré du gibier, ils s'immobilisent dans sa direction.

29 **Les chiens peuvent suivre une piste uniquement au flair.** Le chien de Saint-Hubert est utilisé depuis des siècles par la police pour retrouver les personnes disparues et les suspects en cherchant leur odeur. Ces chiens sont capables de suivre une trace vieille de quatre jours à plus de 120 kilomètres.

Les chiens peuvent percevoir des sons trop aigus pour l'oreille humaine.

30
Leur odorat développé permet aux chiens sauvages de survivre. Les loups hument l'air alentour pour détecter la présence d'autres loups et aussi pour localiser un partenaire ou une proie.
Ils marquent également leur territoire avec de l'urine, dont l'odeur maintient les autres loups à distance.

▼ La partie extérieure de l'oreille s'appelle le pavillon. De nombreux chiens peuvent « attraper » les sons en remuant leurs pavillons et les diriger ensuite vers leur oreille interne, qui envoie le message au cerveau.

Pavillon

31
Les yeux des canidés peuvent suivre les mouvements des autres animaux, ce qui leur permet de détecter les proies. Certains chiens, comme le lévrier, ont une vue perçante, mais la plupart des races voient moins bien que les humains. Comme les chats, les chiens perçoivent certaines couleurs et voient bien à l'aube ou au crépuscule, lorsqu'il y a peu de lumière naturelle.

Loup gris

Dogue allemand

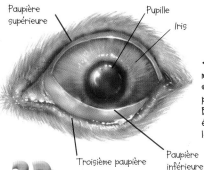

Paupière supérieure

Pupille

Iris

◄ Les chiens possèdent une membrane de peau appelée « troisième paupière » qui protège leurs globes oculaires. Elle glisse sur l'œil pour éliminer les poussières et les saletés.

Troisième paupière

Paupière inférieure

Terrier écossais

32
Les oreilles des loups sont grandes et pointues, mais celles des chiens domestiques sont de formes et de tailles variées. Les chiens sauvages pointent leurs oreilles en direction du son, pour mieux entendre, alors que certaines races de chiens possèdent des oreilles longues et tombantes difficiles à faire bouger.

Carlin

Le langage du corps

33 **Les chiens sont des animaux sociables.** Ils aiment vivre avec d'autres animaux ou avec des humains. Dans la nature, les groupes de chiens ont généralement un meneur, appelé « dominant », qui commande le groupe et les autres chiens lui obéissent. Les chiens de compagnie considèrent leur maître comme le dominant de la meute. C'est pour cela que l'on peut les dresser à obéir.

INCROYABLE !

En 1960, Strelka et Belka, furent les premières chiennes à être envoyées dans l'espace et à revenir saines et sauves sur la Terre. Ces deux courageux animaux ont fait le tour de la planète 18 fois avant d'atterrir.

34 **Les chiens montrent ce qu'ils ressentent en se servant de leur gueule, de leurs oreilles et de leur queue.** Un chien apeuré rentre la queue entre ses pattes, il couche ses oreilles en arrière et se met parfois sur le dos pour montrer qu'il ne veut pas se battre.

Queue basse, entre les pattes

Oreilles couchées en arrière

Tête baissée

◄ Le langage corporel du chien indique ce qu'il ressent. Ce chien est effrayé, son corps ramassé montre aux autres chiens ou aux humains qu'ils doivent s'éloigner.

35

Grogner, aboyer et hurler permettent aux chiens d'envoyer des messages aux autres animaux. Les hurlements des chiens et des loups indiquent aux autres de rester éloignés. Les aboiements servent à signaler quelque chose d'étrange et à alerter les autres pour qu'ils restent sur leurs gardes.

▶ Les loups hurlent plutôt que d'aboyer, et certains chiens utilisent aussi ce mode de communication. Les hurlements peuvent être entendus de très loin.

36

Les jeunes chiots ne remuent pas la queue, ils commencent à le faire vers 4 à 6 semaines, lorsqu'ils tètent. Les chiens plus âgés agitent la queue lorsqu'ils sont excités parce qu'ils croisent un chien ami ou une personne qu'ils connaissent.

Queue relevée

Poils dressés

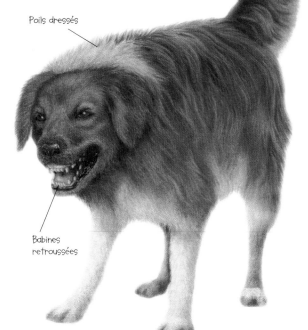

37

Un chien agressif et en colère montre les dents de façon menaçante et grogne. Si ses oreilles sont mobiles, il les pointe en avant et relève sa queue, pour montrer à son ennemi qu'il est en alerte et prêt à agir.

Babines
retroussées

◀ Le chien en colère paraît plus grand et plus menaçant, ses poils se dressent et il montre ses dents pour menacer son adversaire.

À table !

38 **Tous les canidés sont des chasseurs.** Les chiens, qu'ils soient sauvages ou domestiques, ont cet instinct naturel qui les pousse à chercher des créatures à poursuivre, à chasser et à manger. Les animaux chasseurs s'appellent des « prédateurs », et leurs victimes des « proies ». Les chiens et les chats sont des prédateurs, mais contrairement aux chats, les chiens n'ont pas un régime basé sur la viande. Ils mangent également des fruits et des insectes.

39 **Les chiens de compagnie n'ont pas besoin de chasser pour manger.** Leurs maîtres les nourrissent régulièrement de pâtée et parfois de croquettes vitaminées. Si des friandises sont quelquefois données en récompense, cela doit seulement faire partie de leur dressage, et non de leur régime alimentaire.

▶ Les chiens de compagnie ne mangent pas que de la viande. On leur donne parfois des biscuits vitaminés ou des os à ronger pour nettoyer leurs dents. Ils ont également besoin d'une grande quantité d'eau fraîche chaque jour.

40 **Beaucoup de chiens aiment ronger des os de bœuf, qui les aident à garder des dents et des gencives saines.** Les os peuvent se briser en morceaux pointus, et il ne faut pas laisser les chiens les ronger trop longtemps. Il existe des os en biscuit, en nylon ou en plastique, spécialement fabriqués pour être donnés aux chiens.

Il est fréquent de voir des chiens domestiques ou sauvages mâcher de l'herbe.

41 Le chocolat est dangereux pour les chiens. Beaucoup de chiens aiment ce goût, mais il ne faut pas leur en donner, car même un petit morceau peut empoisonner un chien. Les friandises pour chiens ne contiennent pas de chocolat ou très peu.

MANGER OU ÊTRE MANGÉ ?

Ces animaux sont soit des proies, soit des prédateurs. Peux-tu les reconnaître ?

a– loup b– lapin

c– ours polaire d– chimpanzé

e– rhinocéros f– zèbre

Réponses :
Prédateurs : a, c, d
Proies : b, e, f

42 Les chiens peuvent souffrir de problèmes de gencives et de mauvaise haleine, comme les humains ! Les maîtres peuvent brosser les dents de leur chien pour les nettoyer et empêcher les caries. Il ne faut pas utiliser de dentifrice normal, mais un dentifrice spécial que l'on trouve par exemple chez les vétérinaires, car le fluor est nocif pour le chien. Il est également nécessaire d'examiner régulièrement les dents d'un chien pour repérer les dents ou les gencives abîmées.

Agrandir la famille

▲ Ce chiot vient de naître et ne pourrait pas survivre sans sa mère. Elle le nourrit avec son lait, le garde au chaud, le nettoie et le protège.

43 **La grossesse d'une femelle dure normalement de 60 à 70 jours.** Pendant cette période, le chiot grossit doucement dans le ventre de sa mère. Celle-ci doit être traitée avec attention, car elle se fatigue plus vite et doit faire moins d'exercice. Elle a également besoin de plus de nourriture vers la fin de sa grossesse.

44 **Dans la nature, les chiennes mettent bas dans des endroits protégés, appelés tanières.** Qu'il s'agisse d'un trou dans le sol ou d'une grotte, ces abris doivent être au sec, dans la pénombre et bien cachés, pour protéger les petits des autres animaux. La chienne domestique fabrique aussi un « nid » où elle se sent en sécurité pour donner naissance aux petits, un coin tranquille où elle ne sera pas dérangée.

▶ Lorsque le chiot a 2 semaines, ses yeux et ses oreilles commencent à fonctionner. Il s'intéresse à ce qu'il se passe autour de lui, même s'il n'est pas encore propre et ne marche pas.

▶ À 3 semaines, le chiot se déplace maladroitement et peut aller jusqu'au coin où il dort. Comme les bébés humains, il a besoin de beaucoup de sommeil.

45 **Lorsque la femelle est prête à mettre bas, elle cesse souvent de manger.** Beaucoup de femelles s'agitent dans les heures précédant la naissance. Il faut les garder éloignées des autres animaux et les laisser au calme dans leur nid.

Les chiots sont de petits êtres très curieux qui reniflent, mangent ou mâchouillent à peu près n'importe quoi.

46

La femelle met au monde de 3 à 8 petits qui constituent une portée, dont la surveillance est une lourde tâche. Tous les chiens sont des mammifères : cela signifie que les bébés se développent dans le ventre de leur mère qui les nourrit ensuite avec son lait. Dès que les chiots sont nés, la maman les lèche pour les nettoyer.

47

Les chiots naissent sourds et aveugles et sont totalement dépendants de leur mère. Au cours des premières semaines de sa vie, le chiot passe la plupart de son temps à dormir, tandis que son corps grandit et se développe. Après 10 à 14 jours, ses yeux s'ouvrent et 14 jours plus tard, le chiot peut s'asseoir. Peu après, il commencera à marcher.

▲ Lorsque le petit a 5 semaines, sa mère commence à le repousser quand il s'approche pour se nourrir. À 6 semaines, il peut manger des aliments solides.

▼ À 8 semaines, le chiot a sa propre personnalité. Joueur, curieux et bruyant, il est prêt à rencontrer sa nouvelle famille.

Des chiots adorables

48 Jusqu'à l'âge de 10 semaines environ les chiots doivent rester avec leur mère. Ensuite, le jeune animal pourra être confié à une nouvelle famille, qui devra en prendre bien soin. Cela représente une grosse charge de travail : un chiot a besoin de quatre repas par jour et de beaucoup d'affection.

49 Les chiots adorent jouer. Ils commencent avec leurs frères et sœurs, puis en grandissant ils jouent avec les humains. En jouant, ils adoptent des comportements qu'ils reproduiront plus tard : chasser, poursuivre, attraper.

▶ Les chiots jouent à se battre avec leurs frères et sœurs. Même si ces jeux paraissent agressifs, ils permettent aux chiots d'affirmer leur force et leur personnalité.

INCROYABLE !

Lorsque des chiens de race se reproduisent entre eux, la probabilité pour que leurs petits aient des problèmes, de surdité par exemple, augmente. Plus de 30 races présentent ce risque de surdité.

50

Les chiots et les chiens adultes peuvent s'ennuyer et s'agiter s'ils ne font pas assez d'exercice. Tous les chiens, en particulier les jeunes, ont besoin de passer beaucoup de temps dehors pour explorer les environs et utiliser tous leurs sens. Ils aiment suivre la piste d'une nouvelle odeur et renifler le sol et les plantes. Certains chiens sont des « creuseurs » et font des trous dans la terre, particulièrement dans les massifs de fleurs et les pelouses !

▲ Les chiots doivent apprendre à jouer uniquement avec leurs propres jouets.

▶ Les chiots aiment mâcher les jouets, en particulier ceux qui couinent. Il ne faut jamais leur donner de petits jouets, car ils risqueraient de s'étouffer.

51

Les jouets sont un bon moyen pour rendre un chiot heureux. Les chiens aiment poursuivre et attraper des objets, comme les balles et les frisbees. On peut dresser un chien à aller chercher un jouet et à le rapporter, en le félicitant ou en lui donnant une friandise. À la maison, les chiots peuvent s'amuser avec n'importe quoi, et ils adorent mâcher les chaussures et les coins de meubles.

Un chien pour la vie

52 Décider d'avoir un chien est une décision importante. S'occuper d'un animal est une grande responsabilité, cela demande du travail et peut coûter cher. Avant de se décider, il vaut mieux se renseigner sur les soins dont il aura besoin, en interrogeant les propriétaires, les vétérinaires, en lisant des livres ou en cherchant sur Internet.

53 Il est préférable de choisir un chiot plutôt qu'un chien adulte, pour être certain qu'il aura reçu une bonne éducation et des soins dès son plus jeune âge. Choisir son chien chez un éleveur ou chez une personne recommandée par un vétérinaire permet d'être sûr des soins donnés au chiot depuis sa naissance.

54 Les chiens sont parfois abandonnés par des maîtres qui ne veulent plus d'eux. Les propriétaires de chiens réalisent parfois qu'ils ne sont pas capables de s'en occuper. Les plus responsables essaieront de lui trouver un nouveau foyer, mais on trouve aussi des chiens abandonnés dans les rues, qu'on appelle des vagabonds.

55

Les chiens ont une espérance de vie généralement comprise entre 10 et 15 ans, selon les races. Ils ont besoin d'être vaccinés régulièrement pour être protégés des maladies, et d'être soignés quand ils souffrent. Les bons maîtres sont attentifs à la bonne santé de leur chien.

▶ Les vétérinaires vaccinent les chiens et les chiots pour éviter certaines maladies comme la maladie de Carré.

▼ Lequel de ces chiots choisirais-tu ? Un chiot doit être en bonne santé, vif et sociable. Avant d'en choisir un, essaie d'observer plusieurs fois la portée.

56

Les chiens demandent du temps, de la patience et de l'attention. Ils ont besoin de caresses, de nourriture, de promenades et de jeux tous les jours. Les jeunes chiens ne doivent pas rester seuls toute la journée, car ils pourraient devenir solitaires et donc difficiles à éduquer.

COMPTE LES CHIOTS !

1- Trois chiennes ont des chiots. La première en a 6, les deux autres en ont 4 chacune. Combien de chiots ont-elles au total ?

2- Daisy est une femelle dalmatien. Elle a 5 petits chaque année depuis trois ans. Combien de chiots a-t-elle eus au total ?

Réponses : 1. 14   2. 15

S'occuper d'un chien

57 **Un chiot s'habitue rapidement à sa nouvelle maison lorsque l'on a préparé sa venue.** Au début, on peut le laisser dans une pièce où on lui aura confectionné un lit, avec une boîte en carton par exemple, garnie de serviettes de toilette ou de pulls pour le garder au chaud.

▲ Les boîtes en carton font des niches très pratiques pour les chiots, mais ensuite un panier est plus adapté pour les chiens plus âgés.

58 **Faire comprendre à un chiot qui est le maître l'habitue à obéir.** Il est important d'obtenir l'obéissance de son chien. Pour commencer, il existe quatre ordres de base : « assis », « pas bouger », « viens » et « couché ». Quand ton chien les aura assimilés, tu pourras essayer de lui apprendre des instructions plus complexes.

▶ Lorsqu'un chien obéit correctement à un ordre, il est important de le féliciter. Ce dalmatien attend patiemment l'ordre suivant.

59 **Les chiens et les chiots ont besoin d'être surveillés lorsqu'ils jouent.** On ne doit pas les laisser aller dans la rue sans collier ni laisse, car ils risquent de se faire écraser ou d'effrayer d'autres personnes. Quand un chien vit à la campagne, il faut aussi le tenir éloigné des animaux des fermes. Un propriétaire responsable fait toujours attention au comportement de son chien.

60 Un chiot doit aussi apprendre à être propre, ce qui signifie qu'il doit faire ses besoins à l'extérieur de la maison. Un tout petit chiot ne sait pas se retenir, mais quand il grandit, on lui apprend en l'entraînant dehors, lorsqu'il commence à s'accroupir. La plupart des chiots sont propres vers l'âge de 6 mois.

JEU

Ce jeu se joue à plusieurs, comme pour les chaises musicales.

Lorsque la musique s'arrête, le meneur de jeu lance un ordre (« assis », « pas bouger », « viens », « couché »), et chaque joueur doit s'exécuter. Le dernier à obéir correctement est éliminé. Le gagnant est celui qui reste à la fin.

▶▼ Les chiots doivent porter un collier dès leur plus jeune âge pour s'y habituer. Ils peuvent commencer à marcher en laisse à partir de 12 à 15 semaines.

61 Les chiens ont besoin d'un brossage quotidien, en particulier s'ils sont à poil long. Ce brossage permet d'éliminer les poils morts et les nœuds, et de garder le pelage brillant. Il faut parfois baigner son chien, pour le nettoyer et pour qu'il sente bon !

▶ Les aliments pour chien contiennent des vitamines et des minéraux qui sont une part importante du régime quotidien de l'animal. On trouve cette nourriture sous forme déshydratée, ou déjà prête.

62 Les affaires du chien, comme ses jouets, sa gamelle, doivent être maintenus propres et sans microbes. Les chiots ont besoin de repas fréquents et on peut leur donner de la nourriture déjà prête. Les éleveurs fournissent généralement une liste d'aliments recommandés.

▶ Un brossage régulier à l'aide d'une brosse ou d'un peigne aide à conserver une fourrure saine et propre.

31

Les différentes races

63 Il existe de nombreuses races de chiens domestiques. Elles sont divisées en groupes, selon leur type. Certains chiens sont adaptés à la vie de famille, d'autres à la vie à la campagne ou à la course.

▼ Le lévrier afghan était autrefois utilisé pour chasser les animaux sauvages.

64 Les lévriers afghans sont identifiables à leurs longs poils laineux. Ces grands chiens élancés sont originaires d'Afghanistan, et leur pelage était adapté aux hivers longs et froids. Autrefois utilisés pour chasser les loups, les léopards et les chacals, ce sont aujourd'hui des animaux de compagnie recherchés.

65 Le rottweiler est une race de chiens de garde, originaire d'Allemagne. Forts et vigoureux mais au caractère imprévisible, ils sont connus pour attaquer les humains. Avec un dressage efficace, ce sont d'excellents chiens de garde.

◄ Comme le rottweiler, le berger allemand, le boxer, le doberman et le dalmatien sont de bons chiens de garde.

66 Le chihuahua est le plus petit des chiens. En fait, il est minuscule : entre 16 et 20 centimètres de haut ! Il n'a pas besoin de beaucoup d'exercice et doit être gardé au chaud.

▼ Les chihuahuas ressemblent à des jouets ! Ce sont des animaux de compagnie très intelligents.

67 Les chiens de berger sont élevés pour leur intelligence et leur énergie. Ils vivent souvent dans les fermes, où ils aident les bergers à surveiller les moutons, mais on les trouve aussi aux côtés des policiers ou comme animaux de compagnie.

68 Les chiens sportifs ont été au départ élevés pour chasser avec les humains et rapporter oiseaux, lièvres et autres animaux abattus. Le chien partait chercher le gibier mort pour le rapporter au chasseur.

◄ Le golden retriever est un chien très populaire. Il adore les enfants et s'adapte bien à la vie de toute la famille.

69 Les terriers étaient élevés pour aller s'enfouir dans les terriers et en faire sortir les animaux. Le Jack Russell a été appelé ainsi du nom du premier éleveur de cette espèce. On les entraînait à courir avec les autres chiens lors de la chasse, et à déloger les renards de leurs tanières pour permettre aux chasseurs de les attraper.

▲ Les terriers ont tendance à sauter et à aboyer. Leur comportement n'est pas le plus approprié à la vie d'animal de compagnie.

Chiens à pedigree et bâtards

70 Un chien est dit de race ou à pedigree quand ses ancêtres, parents, grands-parents et arrière-grands-parents appartiennent à la même race. L'acquisition d'un tel chien est onéreuse, mais ses propriétaires connaissent exactement ses caractéristiques physiques et mentales.

71 Les bouledogues ont l'air féroces, mais en fait ils sont calmes et sont de bons animaux de compagnie pour les enfants. Malheureusement, ils se fatiguent très vite et ne peuvent pas parcourir de longues distances sans faire de pauses. Ils ont également des difficultés à supporter la chaleur et respirent bruyamment. On les élevait autrefois pour qu'ils attaquent les taureaux en les mordant grâce à leurs dents de devant.

▲ Le bouledogue a la peau plissée, surtout autour de la tête et en haut des pattes. Il se déplace en se balançant sur ses pattes torses.

72 Les lévriers vivaient il y a plus de 4 000 ans dans l'Égypte antique ; on peut les voir représentés sur les fresques des pyramides. Ces animaux fins et athlétiques, connus pour leur amour de la course, sont entraînés à participer à des courses de vitesse. Ces chiens sont dotés d'un caractère gentil et sociable et apprécient les enfants.

◀ Des centaines de lévriers sont mis à la retraite après des années de courses. Ils deviennent souvent des animaux de compagnie.

73 Les chiens qui n'ont pas de pedigree ou qui ne sont pas de pure race s'appellent des bâtards. Leur origine est généralement inconnue et ils sont souvent le fruit du mélange de plusieurs races. Les bâtards jouissent d'une meilleure santé que les chiens de pure race. Lorsque deux chiens de races différentes se reproduisent, on dit que les chiots sont « croisés ».

◀ Un bâtard peut faire un bon chien de compagnie, mais comme on ne connaît pas ses origines, il est difficile de prévoir quel sera son caractère.

74 Le chien de Saint-Hubert est célèbre pour ses oreilles tombantes. On raconte qu'il fut ramené en Angleterre par Guillaume le Conquérant en 1066. Ce chien, doté d'un odorat fantastique, est souvent utilisé comme limier.

DE QUELLE RACE S'AGIT-IL ?

Remets les lettres dans l'ordre pour retrouver les races.

1- nrical 2- drlarbao 3- rrrteie
4- ierlév 5- wochwoch

Réponses :
1. carlin, 2. labrador, 3. terrier,
4. lévrier, 5. chow-chow.

▲ Le chien de Saint-Hubert est une énorme bête qui pèse environ 50 kilos, et qui a besoin de grandes quantités de nourriture.

Chiens des neiges

75 Depuis des siècles, le saint-bernard aide à secourir les personnes dans les Alpes. Lorsqu'un promeneur ou un skieur se retrouve enfoui sous une avalanche, on envoie ce chien courageux les sauver.

▼ Il existe de nombreuses espèces adaptées aux climats froids. Le chien des Pyrénées est une race géante qui peut peser jusqu'à 65 kilos. Le chien esquimau était autrefois utilisé comme chien de traîneau. Aujourd'hui on l'apprécie comme animal de compagnie.

Chien des Pyrénées

Chien esquimau

76 Certaines espèces vivent dans les pays froids du Nord depuis des centaines d'années. Dans ces régions, les hivers sont rudes et la couche de neige rend les déplacements difficiles. Les traîneaux tirés par des attelages de chiens permettent de couvrir de longues distances et de transporter des marchandises et de la nourriture.

▶ Le saint-bernard n'est plus utilisé comme chien de sauvetage. Il a été remplacé par les hélicoptères et les balises de repérage.

77 **Le husky est l'un des chiens de neige les plus connus.** Il peut supporter le froid grâce à son épaisse fourrure et survivre avec peu de nourriture. Ce chien ressemble à son ancêtre, le loup : il hurle au lieu d'aboyer et vit en meute. C'est un chien de traîneau et il est difficile de le dresser pour une autre activité.

▼ Un attelage de huskies peut tirer un traîneau sur plus de 130 kilomètres par jour. Certains de ces chiens sont spécialement élevés pour participer à des courses de vitesse, d'autres sont entraînés pour les courses d'endurance.

78 **Le husky et le chien esquimau sont des races de chiens de neige.** Le chien esquimau est aujourd'hui devenu rare, mais on l'a longtemps vu travailler aux côtés des Inuits et des habitants de l'Arctique.

Des races peu ordinaires

▼ Le chow-chow, avec son poil laineux et sa langue noire, appartient à l'une des plus anciennes espèces de chiens. Il était autrefois utilisé en Mongolie comme chien de berger.

79 Il existe de nombreuses espèces de chiens un peu étranges. Certaines sont apparues pour s'adapter à leur lieu de vie, d'autres ont été créées pour mettre encore plus en évidence leurs caractéristiques particulières.

80 Le chien chinois à crête est l'un des animaux de compagnie les plus étranges. Ce petit chien est presque complètement dépourvus de poils, à l'exception de touffes sur la tête, les pattes et la queue. Le chien chinois est un bon animal de compagnie, mais il est nécessaire de protéger sa peau du soleil en été, et de lui faire porter un manteau en hiver.

▶ Le chien chinois à crête mesure environ 30 centimètres de haut. Intelligent et sans grand besoin d'exercice, c'est un compagnon idéal.

INCROYABLE !

Les poils du berger hongrois poussent en formant de longues cordes. Cette toison nécessite un entretien constant, sinon elle forme des nœuds impossibles à démêler !

81

Le shar-pei est un chien à la peau toute plissée. Il a également des plis autour de la tête et une gueule renfrognée. Son pelage est court et serré. Les shar-peis viennent de Chine, où ils étaient utilisés pour garder les moutons et chasser les sangliers. De nos jours, ce sont des animaux de compagnie. Presque éteinte en Chine, cette race était la plus rare du monde, mais l'élevage du shar-pei, très populaire ces dernières années, a repris à Hong Kong.

82

Le chien qui porte le nom le plus étrange est le xoloitzcuintle, appelé également chien nu du Mexique. Cette race se caractérise par une absence totale de poils. Dans les années 1950, la race était en voie d'extinction. Encore peu nombreux aujourd'hui, ces chiens sont recherchés comme animaux de compagnie.

▲ Le shar-pei naît avec de nombreux plis répartis sur tout le corps. En grandissant, ces plis s'effacent, sauf autour de la tête, du cou et du poitrail.

83

On trouve des caniches de toutes les tailles et de toutes les formes ! On considère cette race comme l'une des plus anciennes, et certaines pièces grecques et romaines représentent cet animal. Il existe trois principaux types de caniches : le standard, le nain, et le toy. Ce sont des chiens qui ne perdent pas leurs poils, et sont donc particulièrement aptes à vivre avec des personnes asthmatiques.

◄ Les poils du caniche doivent être régulièrement tondus et coiffés.

Des chiens intelligents

▶ Les chiens qui participent à des concours d'agilité doivent par exemple sauter des obstacles, obéir aux ordres de leur maître, et trouver des objets qu'il a touchés.

84 **Certains chiens sont suffisamment intelligents pour mémoriser de nouveaux tours.** On peut leur apprendre à se rouler par terre, à faire le beau, et même à donner la patte. Des propriétaires inscrivent leur chien à des concours, où sont notés leur apparence et leur dressage. Les concours les plus célèbres attirent plus de 20 000 participants.

85 **Certains chiens peuvent percevoir à l'avance les tremblements de terre et les tornades.** Lorsqu'ils sentent ces phénomènes naturels, ils sont en alerte, halètent et courent partout dans la maison ou le jardin comme des fous. On pense que les chiens sont sensibles aux minuscules changements de pression de l'air qui se produisent avant une tornade, ou qu'ils peuvent entendre les infimes premières secousses d'un tremblement de terre avant les humains.

▲ Le border collie s'allonge sur le sol et fixe les moutons du regard. Il les dirige ainsi sans aboyer ni mordre.

INCROYABLE !

Les chiens ne peuvent pas distinguer certaines couleurs, telles que le rouge, l'orange et le vert. Les chiens-guides apprennent donc à « lire » les feux de signalisation en repérant leur position et leur luminosité plutôt que leur couleur.

86 **Les chiens les plus intelligents sont les border collies, les caniches et les bergers allemands.** Ils sont donc souvent choisies pour accompagner les humains car ils peuvent apprendre rapidement de nouveaux ordres, et sont généralement très obéissants. Les border collies accompagnent les bergers : ils sont capables de suivre les instructions de leur maître, et de faire rentrer ainsi un troupeau entier de moutons dans son enclos.

87 **Les renards gris grimpent aux arbres !** On s'attend habituellement à voir les chats perchés dans les arbres : aux États-Unis et au Mexique, on peut voir des renards gris grimper dans les arbres pour trouver leur nourriture (insectes, oiseaux, fruits), mais aussi pour échapper aux dangers. Les renards gris vivent en couple plutôt qu'en bande.

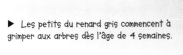

▶ Les petits du renard gris commencent à grimper aux arbres dès l'âge de 4 semaines.

Chiens au travail

88 Certains chiens doivent accomplir d'importantes missions. Comme ils sont faciles à dresser, ils font d'excellents compagnons et on les trouve parfois dans les hôpitaux, pour tenir compagnie aux malades. En effet, il a été observé que les patients mis en contact avec des animaux guérissaient plus vite que les autres.

◀ Les chiens-guides permettent aux personnes malvoyantes ou non-voyantes de mener une vie autonome.

▲ Cet immeuble s'est effondré, mais grâce à son odorat et à son ouïe très développés, ce chien spécialement dressé peut retrouver les survivants dans les décombres.

INCROYABLE !

Les chiens-guides sont entraînés à ouvrir les portes, à appuyer sur les interrupteurs, et même à aider leur maître à enlever chaussures et chaussettes.

89 Certains chiens sont dressés pour venir en aide aux personnes. Ainsi, pendant la Première Guerre mondiale, des chiens ont été dressés pour aider les soldats blessés aux yeux au cours des combats. Depuis cette époque, des centaines de chiens à travers le monde ont appris à accompagner les personnes aveugles. Avec l'aide de leur chien, celles-ci sont plus autonomes et peuvent sortir plus librement.

90 **Les chiens peuvent être dressés à repérer les produits dangereux et les bombes.** Le labrador et le berger allemand sont souvent choisis pour leur odorat très développé. Aux États-Unis, les chiens sont entraînés à reconnaître plus de 19 000 combinaisons de produits chimiques qui entrent dans la composition de bombes. Ils peuvent également détecter les drogues transportées clandestinement sur les bateaux, dans les avions, les voitures ou les camions.

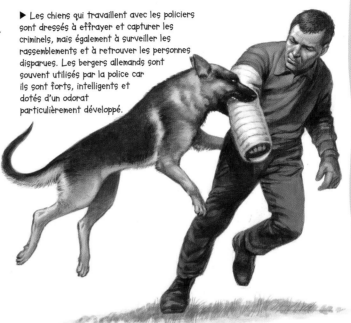

▶ Les chiens qui travaillent avec les policiers sont dressés à effrayer et capturer les criminels, mais également à surveiller les rassemblements et à retrouver les personnes disparues. Les bergers allemands sont souvent utilisés par la police car ils sont forts, intelligents et dotés d'un odorat particulièrement développé.

91 **Des chiens étaient chargés de transporter des messages pendant la Première Guerre mondiale.** De nombreux messagers humains étaient tués ; alors, des chiens errants furent attrapés et entraînés pour les remplacer dans leur tâche. Ils transportaient des messages ou de la nourriture enfermés dans des boîtes cylindriques.

Ces chiens ont certainement sauvé de nombreuses vies, mais 7 500 d'entre eux furent tués pendant la guerre.

▲ Les chiens de tranchées étaient très appréciés par les soldats car ils leurs tenaient compagnie et tuaient les rats.

43

Contes et légendes

92 Cerbère, chien terrifiant à trois têtes, assurait la garde de l'entrée du royaume des morts pour Hadès, le dieu des Enfers dans la mythologie grecque. Cerbère laissait les nouveaux esprits y pénétrer, mais les empêchait d'en ressortir. Peu d'entre eux réussissaient à se faufiler devant lui. Une légende raconte l'histoire d'un homme, Orphée, qui parvint à endormir Cerbère par la musique enchanteresse de sa lyre.

▲ Le féroce Cerbère perdit son combat contre le héros grec qui le berça au son de sa douce musique.

93 Le Chien des Baskerville raconte l'histoire d'un chien démoniaque et d'une terrible malédiction. Dans ce roman, chaque homme de la famille des Baskerville mourait après avoir subi l'attaque d'un chien géant venu de l'enfer. Le détective Sherlock Holmes mènera l'enquête et mettra fin à cette malédiction.

▶ Sir Arthur Conan Doyle écrivit *Le Chien des Baskerville* en 1902, en s'appuyant sur les anciens mythes des chiens diaboliques.

94

D'après d'anciennes légendes du pays de Galles, un chien-loup appelé Gelert sauva la vie de l'héritier du prince, alors bébé. Le chien montait la garde auprès du bébé lorsqu'un loup entra dans la nurserie. Gelert combattit la bête féroce et la tua, mais quand le prince revint, voyant le lit vide, il crut que Gelert avait tué son enfant. Il abattit son chien d'une flèche en plein cœur, avant de découvrir son enfant sain et sauf, et le corps sans vie du loup.

▶ Furieux, le prince tua son brave chien Gelert.

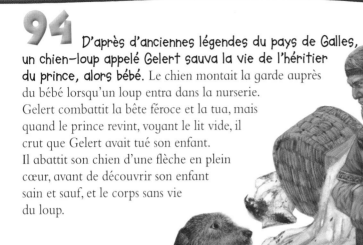

95

Les Indiens d'Amérique ont vécu durant des siècles aux côtés des coyotes, des loups et des chiens. On trouve le récit de ces liens entre hommes et animaux dans de nombreuses légendes indiennes. L'une d'entre elles raconte que lorsque Coyote entendit les hommes se lamenter à l'approche de l'hiver, il courut dans les montagnes et déroba le feu des créatures qui vivaient là. Coyote le rapporta alors à la tribu et leur apprit comment faire du feu, en frottant deux pierres l'une contre l'autre.

CHACUN SON CHIEN

Quels sont les maîtres de ces chiens célèbres ?
1- Scooby Doo 2- Snoopy
3- Gromit 4- Milou

Réponses :
1. Sammy 2. Charlie Brown
3. Wallace 4. Tintin

Personnages canins

96 Le skye-terrier Bobby resta plus de 14 ans près de la tombe de son maître, John Gray, un moine franciscain. Après la mort de celui-ci, Bobby suivit le convoi jusqu'au cimetière des moines, et s'installa près de sa tombe pour monter la garde, ne quittant sa place que pour se nourrir, jusqu'à sa propre mort de nombreuses années plus tard.

▲ On raconte que de nombreux visiteurs venaient se promener près du cimetière à 13 heures uniquement pour apercevoir Bobby quitter sa place pour aller manger.

97 Wallace et Gromit sont une parfaite illustration de la relation de l'homme avec son chien. Dans leurs aventures, bien que Wallace soit l'être humain, son chien Gromit est le plus intelligent des deux ! On retrouve ces personnages sympathiques dans plusieurs films d'animation qui ont reçu des prix, comme *Un mauvais pantalon*, *Rasés de près*, et le dernier, sorti en 2005, *Le Mystère du lapin-garou*.

▶ Nick Park est le créateur du duo formé par Wallace, un inventeur fou de fromage, et son loyal chien Gromit, qui a fait son apparition sur les écrans en 1989.

98

Dans l'histoire de Peter Pan, le chien de la maison est un terre-neuve nommé Nana qui veille sur les enfants. Lorsque Monsieur Darling décida que Nana ne devait plus dormir dans la chambre des enfants, Peter Pan en profita pour leur rendre visite et les convaincre de s'envoler avec lui vers le pays imaginaire. Monsieur Darling se sentit tellement coupable qu'il passa ses nuits dans la niche de Nana jusqu'à ce que ses enfants rentrent sains et saufs à la maison.

INCROYABLE !

Le basset nage très mal. Sur les bateaux, on doit lui enfiler un gilet de sauvetage.

▶ Lorsque Peter Pan emmena Wendy et les garçons vers le pays imaginaire, ils laissèrent Monsieur Darling seul dans la niche du chien !

99

Snoopy est connu dans le monde entier. Ce personnage de bande dessinée est apparu pour la première fois dans les journaux dans les années 1950. Snoopy est un beagle, qui passe la plupart de son temps à réfléchir allongé sur le toit de sa niche. Il appartient à Charlie Brown, qu'il considère uniquement comme la personne qui lui apporte à manger !

100

Endal, un labrador sable, a été élu « chien du millénaire » en 1999, en récompense des services rendus à son maître handicapé. Endal était capable d'acheter des tickets de bus, et même d'utiliser un distributeur de billets pour aider son maître qui se déplaçait en fauteuil roulant. Comme de nombreux autres animaux domestiques à travers le monde, Endal prouve que les chiens, plus que des animaux familiers, sont aussi nos amis, et parfois des sauveteurs et des héros.

Index